À Maëlle, notre petite elfe…

Le Syndrome de Williams est une maladie génétique orpheline touchant des milliers d'enfants de par le monde.
Ces chérubins aux visages d'elfes sont des enfants extraordinaires.
Azuro leur est dédié, ainsi qu'à leurs parents…

Azuro
le dragon bleu

Texte de Laurent et Olivier Souillé
Illustrations de Jérémie Fleury

AUZOU

Il était jadis une caverne aussi profonde qu'obscure dans laquelle vivaient de puissants dragons. Dans la noirceur de cette grotte, naquit un étrange dragonneau...
Tous les dragons étaient d'ordinaire rouges, noirs ou verts. Or ce bébé possédait des écailles d'un bleu azur des plus scintillants. Ses parents décidèrent de l'appeler Azuro.

À l'école, Azuro subissait chaque jour les moqueries des autres enfants dragons, si bien qu'il ne voulait plus y aller. Tout en le réconfortant, sa maman lui expliqua qu'il le fallait. En bon dragon, il devait apprendre les deux choses les plus importantes dans la vie d'un dragon...

À voler...

Il était primordial pour tout dragonneau d'apprendre à maîtriser ses ailes et à se diriger grâce à sa queue. Habituellement, cet apprentissage était très long mais Azuro parvint à s'envoler dès son premier essai. Sa maîtresse était très fière de lui !

Ensuite, il devait apprendre à cracher du feu. Malheureusement, des narines et de la gueule d'Azuro ne sortait que de l'eau...

Les Dragons Anciens se réunirent et décidèrent qu'Azuro faisait l'objet d'une terrible malédiction. Aussi, ils lui ordonnèrent de quitter la caverne pour ne plus jamais y revenir ! Après un dernier baiser à sa maman qui cachait difficilement ses larmes, Azuro déploya ses ailes et s'envola vers l'inconnu...

Le vent et la pluie s'étaient brusquement levés, rendant
le vol si pénible qu'Azuro décida de s'abriter dans une forêt.
Puis, le ciel sombre et menaçant finit par laisser place à
de jolis nuages...

Azuro marchait péniblement dans la forêt, se cognant contre les arbres et les rochers. Lorsqu'il arriva à la lisière du bois, il découvrit un village.

Bien dissimulé derrière d'épais buissons, Azuro observait les villageois : les enfants jouaient dans la cour de l'école, la boulangère préparait le pain et les viennoiseries, le facteur distribuait le courrier et le maire enfilait son écharpe tricolore.

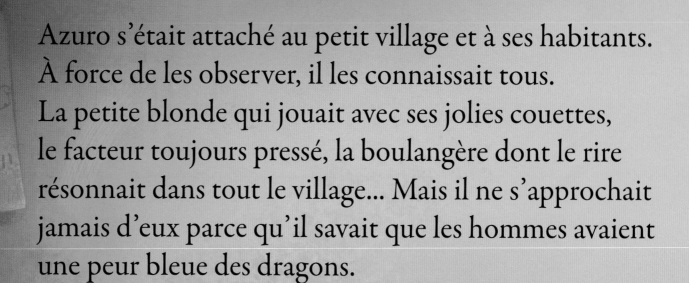

Azuro s'était attaché au petit village et à ses habitants.
À force de les observer, il les connaissait tous.
La petite blonde qui jouait avec ses jolies couettes,
le facteur toujours pressé, la boulangère dont le rire
résonnait dans tout le village... Mais il ne s'approchait
jamais d'eux parce qu'il savait que les hommes avaient
une peur bleue des dragons.

Un matin, Azuro fut réveillé par une odeur familière. Il leva la tête et vit une épaisse fumée noire qui s'élevait jusqu'au ciel. Il prit son envol et découvrit avec horreur que le village était prisonnier des flammes...

Les villageois furent saisis d'effroi lorsqu'ils virent Azuro tournoyer au-dessus d'eux ! Persuadés que c'était lui qui avait mis le feu à leurs maisons, ils commencèrent par s'enfuir en hurlant...

Ils n'en crurent pas leurs yeux lorsqu'Azuro cracha des litres
d'eau sur les maisons en feu. Une fois l'incendie éteint,
le dragonneau voulut rejoindre la forêt pour s'y cacher,
mais épuisé, il s'écroula de tout son long à l'entrée du village.
Il était désormais à la merci des villageois qui avaient
commencé à l'encercler...

Pourtant, les villageois l'acclamèrent et l'aidèrent même à se relever !
Ses forces retrouvées, Azuro aida à la reconstruction du village qui était presque entièrement détruit.
Et quelle surprise, on lui bâtit même une maison !
Pas n'importe laquelle, d'ailleurs...

CASERNE DE POMPIERS

Direction générale : Gauthier Auzou
Responsable éditoriale : Maya Saenz
Maquette : Annaïs Tassone
Responsable fabrication : Jean-Christophe Collett
Fabrication : Nicolas Legoll
Relecture : Isabelle Delatour-Nicloux

www.auzou.fr

 Rejoignez-nous sur Facebook et suivez l'actualité des Éditions Auzou.
www.facebook.com/auzoujeunesse

Retrouvez la collection des « p'tits albums » en format souple

Renard et les trois œufs

Moustache ne se laisse pas faire

Octave ne veut pas grandir

Roucoule est amoureuse

Petite taupe ouvre-moi ta porte !

Zafo le petit pirate !

Le loup qui voulait changer de couleur

La chauve-souris et l'étoile

Croquette devient grand frère

Armande la vache qui n'aimait pas ses taches !

Rosetta n'est pas cracra !

Berlingot est un superhéros

Le loup qui s'aimait beaucoup trop

La petite souris et la dent

Sa majesté Léonardo n'en fait qu'à sa tête

Petit panda cherche un ami

Séraphin, le prince des dauphins

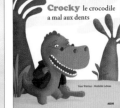
Crocky le crocodile a mal aux dents

Robin, le petit écureuil des bois

Mika l'ourson a peur du noir

Martin le pingouin a un nouveau voisin

Le loup qui cherchait une amoureuse

Le loup qui ne voulait plus marcher

Ferdinand le Papa Goéland

Petit Castor reçoit un drôle de cadeau !

Manolo le blaireau se prépare pour l'hiver

Renato aide le Père Noël

Le loup qui voulait faire le tour du monde

Le loup qui voulait être un artiste

Camille veut une nouvelle famille

Chouquette et les Secrets Magiques

Clotilde part en colonie de vacances

Cédric veut être fils unique !